First published in 2005 by
Ofr system'
30, rue Beaurepaire, 75010 Paris
info@ofrpublications.com

ßßß

ISBN 2-915865-03-5
Dépôt légal : à parution

Printed in Belgium

MON PAYS C'EST PARIS

french illustrations and drawings now

Renée Brickman ... oui!?

Laetitia Benat
Helene Convert
Marie Pascale Daubernet
Agnes Decourchelle
Florence Deygas
Marianne Duretz
Blaise Hanquet
Anne Margreet Honing (Lust-Project)
Jay I
Siegfried Jegard
K.I.M.
Kuntzel+Deygas
Luis
Dan Madescu
Stephane Manel
Maydee
Missbeck
Pascal Monfort+Alexandra Jean
Cassandre Montoriol
Iris de Moüy
Ion Olteanu
Safia Ouares
Annalisa Pagetti
Alexandre Pierson aka Alex Dj A
Humberto Poblete y Bustamante
Audrey Rasper+Sophie Faucillion
Christine Rebet
Kustaa Saksi
Benjamin Savignac
Sublimdesign
Marie-Martine Thumerelle
Jean-Michel Tixier
Sophie Toulouse
Timothee Verrecchia + Elise Flory + Tania Bruna-Rosso
Anthony Vest

«Younas, il est marocain?» «Non. Sa maman est suédoise, son papa est marocain mais lui, il est parisien.»
«Et Corinne, elle est chinoise?» «Ses parents, oui, mais elle, elle est parisienne.»
«Son pays c'est Paris?» «Oui, son pays c'est Paris.»

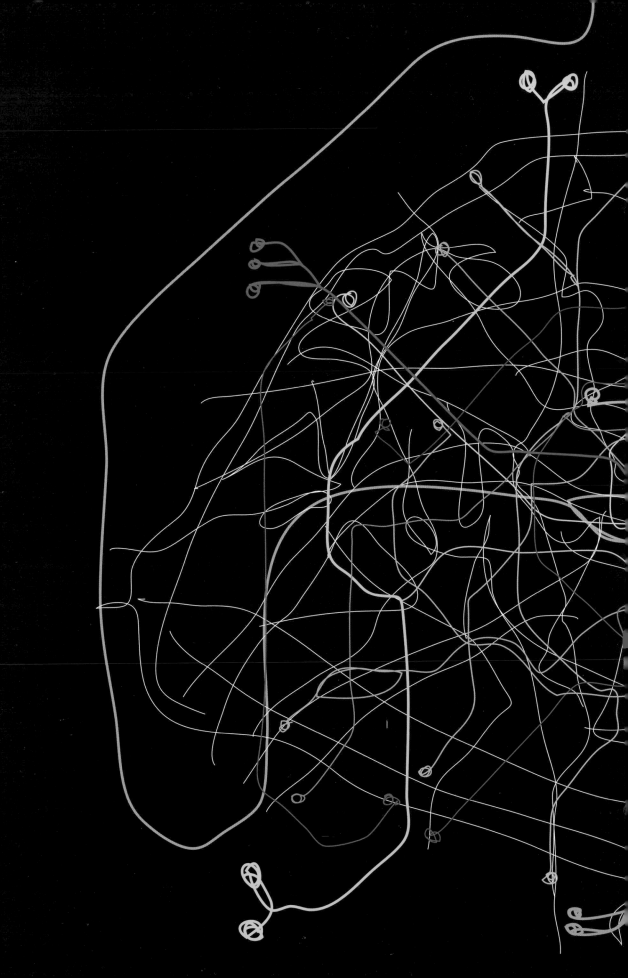

Tuileries's dream

FROM THE *The Nature Of Angels* NOA
SCENERY002 - PARIS
Sophie Toulouse

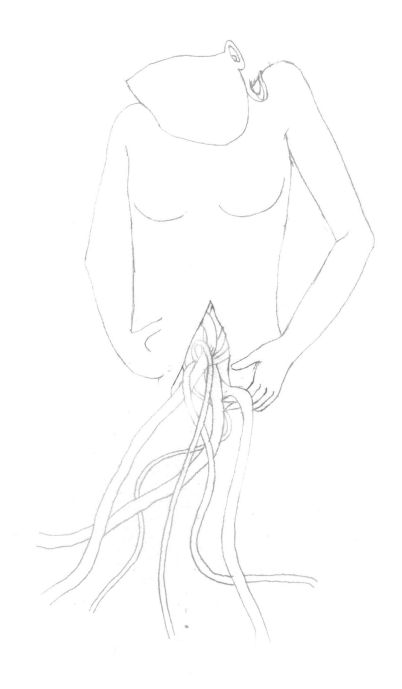

Paris Vanitas I
café du matin

AP 05

Paris Vanitas II
Dejeuner

Paris Vanitas III
Aperitif

Paris Vanitas IV
Repas
du soir

PARIS FOLK TALE

LISTEN HOW MICRO, WAVES
       WHO MICRO TESTS
       WHAT GIRLS RIDE
      HANDS CLAP HANDS

i AM THE ROLLING MAN

NOW I SHOW YOU HOW FISHES TALK

SOME DRINK ~~ONE~~ TOUCHES AS local RAZOR

SOME girls, ~~MAKE YOU FEEL~~ AS A japanese PREACHEr

i AM THE ROLLING MAN

WE CAME WITH THE CONCLUSION
THAT the Man likes to
Walk by the sea

Le printemps à Paris avec Cap&Pep

<< 213 rue Saint-Honoré, Cap ? >>

40

<< Comme d'hab, Pep. >>

L'été à Paris avec Cap&Pep

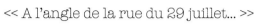

<< A l'angle de la rue du 29 juillet... >>

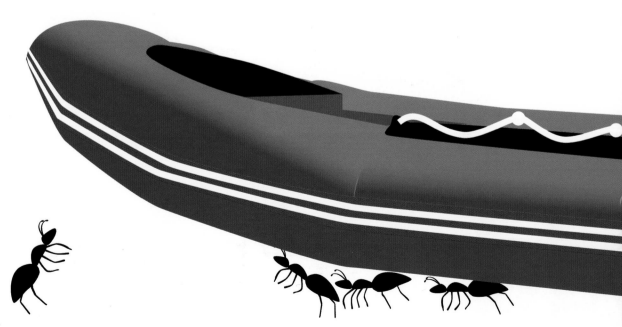

L'automne à Paris avec Cap&Pep

<< Cap ! Quasiment en face de la rue du marché saint honoré >>

HI
HI HI
HI HI
HI HI HI HI
HI

<<Compris, Pep. >>

L'hiver à Paris avec Cap&Pep

<< Chez colette>>

<<Evidemment>>

FLYING FAMOUS PARIS

T Verrecchia & E Flory

mon Paris à moi
*
                                    *

Je n'ai que 27 ans et j'ai déménagé 22 fois dans Paris.
J'ai écumé le 14ème du Pernety eighties avec ses dealers d'héroïne et ses faisanderies old school, le 13ème et ses tours branlantes à la bourrasque, le 6ème et ses boutiques de sacs en cuir pleine fleur importés d'Italie, le 2ème et ses poutres apparentes sur terre comme au ciel, le 11ème comme tout le monde, le 10ème de gare en gare, le 3ème parce que je le vaux bien et, ayé, 18ème, nouvel appart' avec vue carte postale et lumière du Nord, là-haut sur la montagne, en bas des marches de l'église guimauve blanche, comme une pétroleuse de la Commune.

J'ai lu quelque part que les gens dépressifs étaient ceux qui avaient trop souvent déménagé, que l'on mettait très longtemps à se remettre de la fatigue psychologique que générait cette épreuve, ce tour de force de quitter un lieu pour un autre où, en bon Parisien, on ne défera ses cartons qu'une fois l'été venu quand on aura enfin le temps, ce tour de rein en grimpant jusqu'au septième des cartons humides (car, quel dommage, aujourd'hui aussi, il pleut) dont le fond, fatalement, finira par céder avant d'avoir atteint le palier.
Je n'ai que 27 ans et je dois, en toute logique, couvrir une bonne maniaco-dépression.

Si Perec tentait d'épuiser les lieux parisiens, Paris tendrait à nous épuiser – en tout cas, on voudrait nous le faire croire.
Le cousin de province, en visite pour la semaine, ne se lassera pas de comparer la qualité de l'air, le trafic tyrannique, le coût de la vie, le gris des trottoirs et des cernes à ses verts pâturages, sa basse-cour épanouie, son troquet à cirrhose posé sur le bord d'une nationale, le pot-pourri champêtre et le rose aux joues des gens de la campagne (à moins que ce ne soit une petite vérole, lui faites-vous justement remarquer).

Il n'y a qu'un vrai Parisien pour apprécier à sa juste valeur la dose de connerie d'un serveur trop lent d'un café trop épais à un prix trop élevé.
Il n'y a qu'un autochtone pour saisir le plaisir de se faire engueuler, devant témoins, par une vieille acariâtre dans un bus bondé.
Il n'y a qu'une authentique tête de veau pour jouir de la divine sensation de l'écrasement d'une semelle de crêpe dans un malabar frais, suivi d'un glissement progressif sur le bitume – une joie enfantine de patinoire.

Ma madeleine à moi est une station de métro qui sent le moisi.

Tania Bruna-Rosso

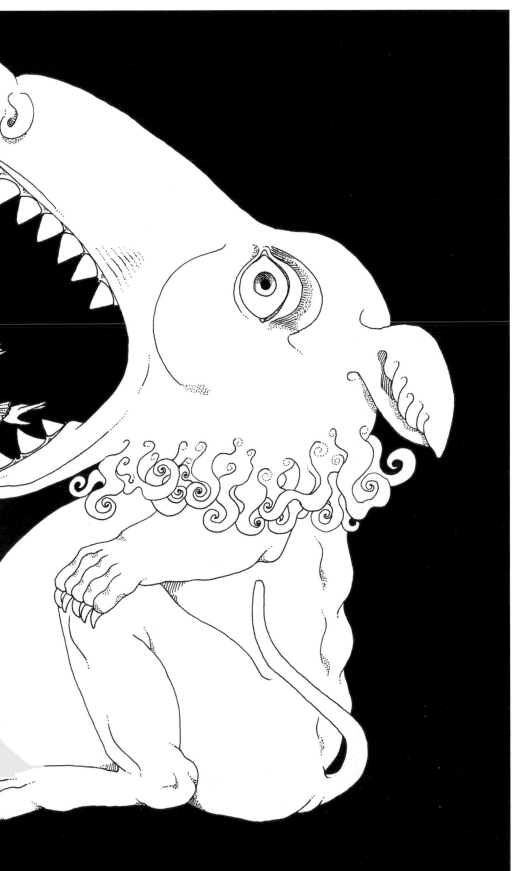

This drawing is taken from K.I.M.'s Kim Kong EP realised by Tigersushi Paris (www.tigersushi.com)

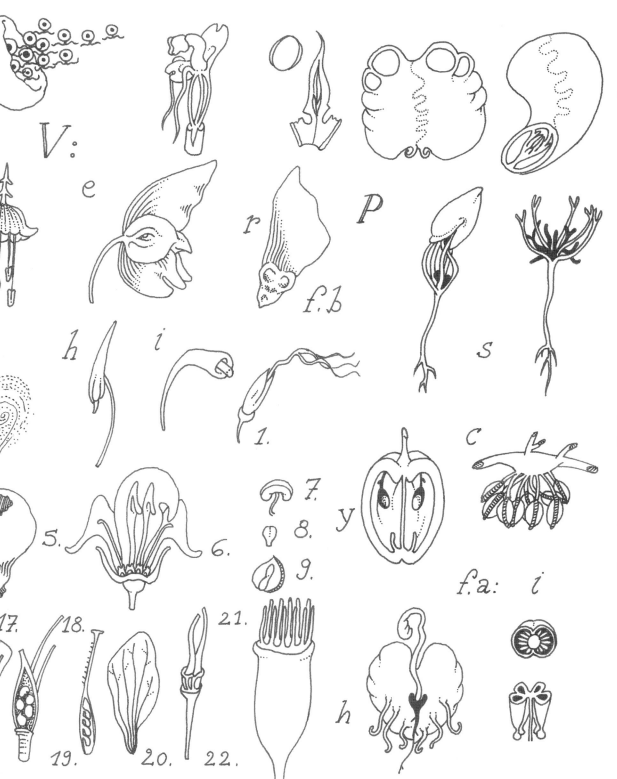

This drawing is taken from K.I.M.'s Flores Monstrosi EP realised by Tigersushi Paris (www.tigersushi.com)

57

Paris, vu de ma fenêtre

Mon Paris... c'est Paris

Mon Pays c'es

Mon Pays c'est Paris

ris

Mon Pays est Paris: vu de ma fenêtre sur le monde.

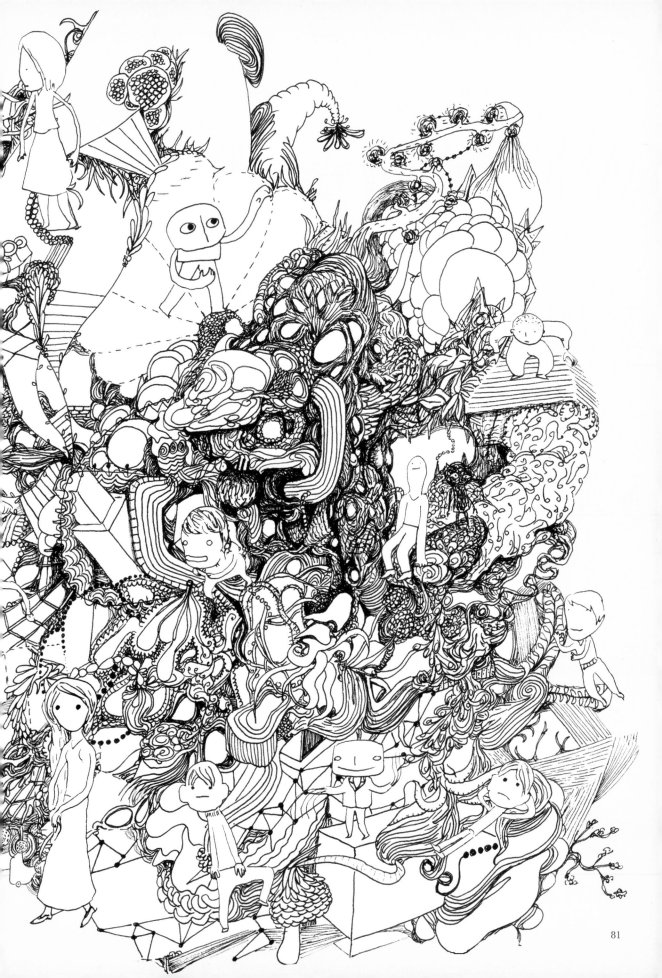

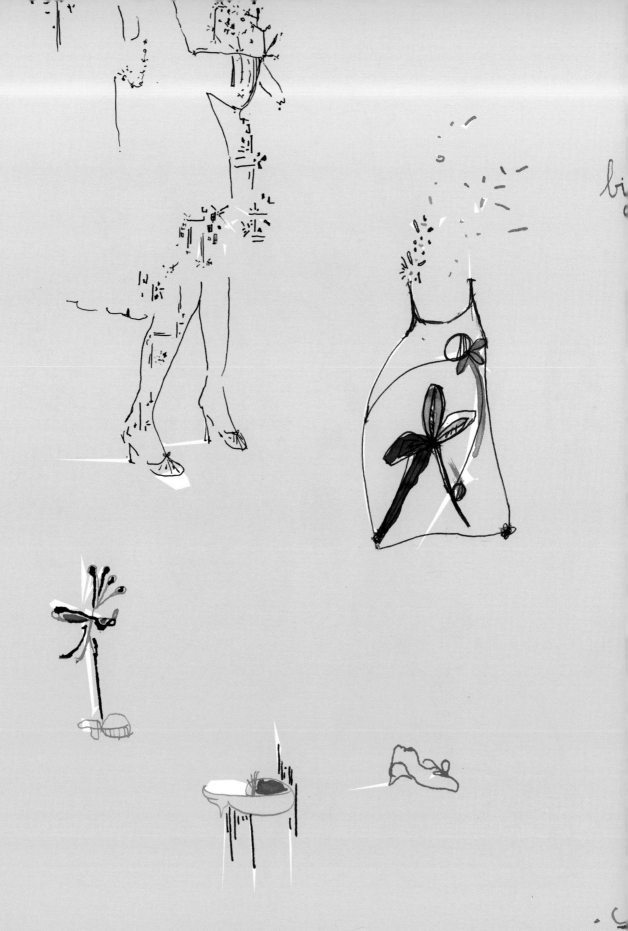

Car c'est

Car c'est
LES ETRENNES
A PARIS

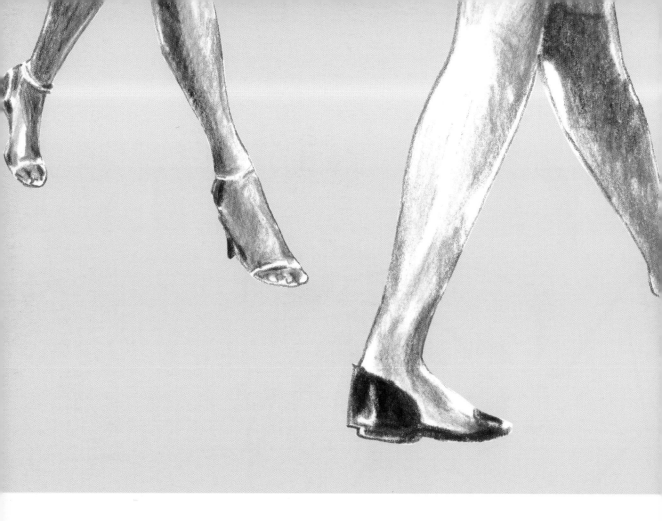

PROMENADE

Quelques sculptures aperçues sur les façades en allant au
Jardin du Luxembourg.

177 rue d'Alésia, 14°

rue de Lubeck, 16°

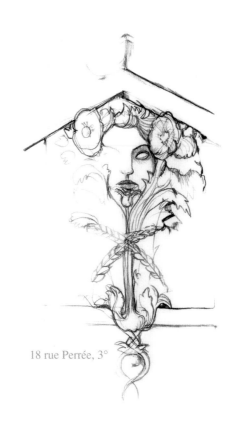

18 rue Perrée, 3°

148 rue de Grenelle, 7°

Jardin du Luxembourg, 6° *La Reine Mathilde*, Marbre, 1850.

HOU. LA. LA
PARIS...

PARIS

← grosse baguette

Mademoiselle!

Pfft!

→

scratch
scratch

missbeck
.com

ABOUT PARIS

there today

a

RIGHT HERE
NO PLAY
THERE'S NO PLACE LIKE THIS
MUSIC ALL NIGHT LONG
I WANT MY DJ!
BE HERE
YOU SHOULD
A.
IN THE NIGHT LIFE

DEPRESSING WINTER

IF ONLY

SO SUNNY

GREY

GOOD TASTE

MACEDOINE

mjX euk

SWEET PERFUMES

OR FRENCH PIGEON

FAMOUS HIDDEN "GRACE"

REALLY INTERNATIONAL

Prostrée, je persistais à fixer le sillon
des péniches qui me murmurait tout
bas d'aller finalement le retrouver ...
De Notre Dame je rejoignais l'hôtel

ESMERALDA

La nuit soudain
ombragea les
vieilles silhouettes
difformes des hôtels

des quais ...

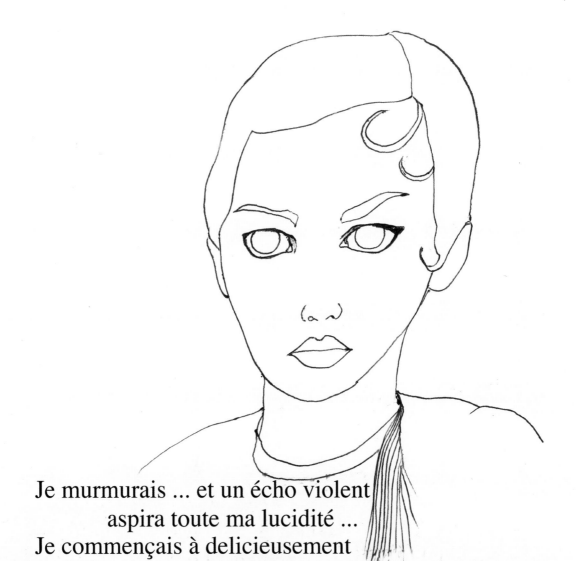

Je murmurais ... et un écho violent
aspira toute ma lucidité ...
Je commençais à delicieusement
DIVAGUER.

NÉ A PARIS

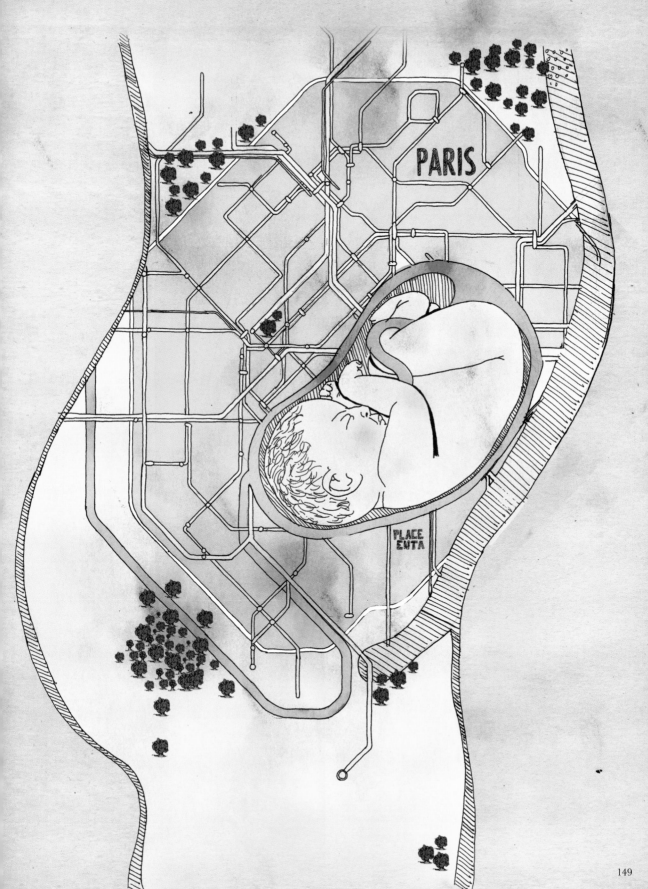

LE 11 OCT 1974

Eat fast at Montmartre
Place du Tertre

mon pays c'est paris

Anthony Vest

Couv. intérieures + P. 8-9
contact@creative-syndicate.com

Stephane Manel

P. 10-11, 12-13
info@stephanemanel.com
www.stephanemanel.com

Sophie Toulouse

P. 14-15, 16-17
sophie@sophietoulouse.com
www.sophietoulouse.com

Annalisa Pagetti

P. 18-19, 20-21, 22-23
annalisa@ap-work.net
www.ap-work.net

Humberto Poblete y Bustamante

P. 24-25, 26-27, 28-29, 30-31
alexandra.bergmann@ubs.com

Christine Rebet

P. 32-33, 34-35, 36-37, 38-39
christine.rebet@ gmx.net

Kuntzel+Deygas

P. 40-41, 42-43, 44-45, 46-47
addadog@wanadoo.fr

Elise Flory+Timothee verrecchia

P. 50-51, 52-53
timver@mac.com

K.I.M.

P. 54-55, 56-57, 58-59
flokim_lucas@yahoo.fr
www.tigersushi.com

Kustaa Saksi

P. 60-61, 62-63
www.kustaasaksi.com
louise@louisebertaux.com
www.louisebertaux.com

Benjamin Savignac

P. 64-65, 66-67
contact@creative-syndicate.com
www.savignacillustrations.com

Dan Madescu

P. 68-69
danmadescu@hotmail.com

Luis

P. 72-73, 74-75, 76-77, 78-79
lemail2luis@yahoo.fr
www.luisworks.com

Siegfried Jegard

P. 80-81, 82-83
siegfriedjegard@hotmail.com

Marie Pascale Daubernet

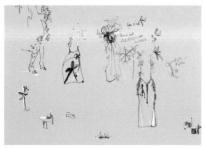

P. 84-85, 86-87
mpdaubernet@hotmail.com

Agnes Decourchelle

P. 94-95
a78@freesurf.fr

Iris de Moüy

P. 102-103, 104-105, 106-107, 108-109
iris.demouy@noos.fr

Safia Ouares

P. 88-89, 90-91, 92-93
contact@creative-syndicate.com

Laetitia Benat

P. 96-97, 98-99, 100-101
laetea@no-log.org

Marianne Duretz

P. 110-111, 113
mduretz@yahoo.com

Missbeck

P. 114-115, 116-117
contact@creative-syndicate.com
www.missbeck.com

Alexandre Pierson aka Alex Dj A

P. 118-119
alexandredja@hotmail.com

Helene Convert

P. 120-121
helene.convert@free.fr

Audrey Rasper+Sophie Faucillion

P. 122-123, 125
audrey@close-to-u.net

Sublimdesign

P. 127, 128-129, 131
sublim@sublimdesign.com

Maydee

P. 132-133, 134-135, 136-137
contact@creative-syndicate.com
www.maydee.net

Ion Olteanu

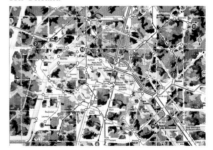

P. 138-139, 140-141
olti@free.fr

Blaise Hanquet

P. 143, 145, 147
blaisehanquet@yahoo.fr

Jean-Michel Tixier

P. 148-149
contact@creative-syndicate.com

Pascal Monfort+Alexandra Jean

P. 152-153
pascal.monfort@nike.com
alexandra@eat-fast.net

Florence Deygas

P. 156-157, 158-159, 160-161
addadog@wanadoo.fr

Marie-Martine Thumerelle

P. 150-151
g.thumerelle@wanadoo.fr

Jay1

P. 154-155
antistatiq@mac.com

Anne Margreet Honing (Lust-Project)

P. 162-163
lust-project@noos.fr

Cassandre Montoriol

P. 164-165, 166-167, 168-169
cassandre.m@noos.fr
www.cassandrem.com

Un très grand merci à tous ceux qui nous ont confié leurs dessins.

Merci aussi à Bernard, Eric et Alexandre, Xavier et Alexandre, Carine et Amélie, Arnaud et Géraldine, Emile et Dominique, Jackie et Jean, Ali et Giorgio, Frédéric, Wilfried et Claire, Thierry, Marc-Antoine et Montse, Paul, Amin (...) Et à André, Marie-Sophie, Sarah, Paula, Senghor et Côme, Dan, Florence, Trilcé, Guillaume, Philippe, Thibault et Eric

Editeur : Alexandre Thumerelle, Graphiste : Marie-Pascale Daubernet, Développement : Christel Vidal (0fr)
Relations Publiques : Marie Thumerelle +33 1 42 45 72 88. Distribution : 0fr System'
Publication : 0fr publications 30, rue Beaurepaire 75010 Paris. info@ofrpublications.com